COLOR
ANIMAL

MAYA HANISCH · AGUSTÍN AGRA

FAKTORÍA  DE LIBROS

ORCA

Es uno de los mayores depredadores del océano.
Usa su fuerza, velocidad e inteligencia para cazar
peces, calamares y focas.

La llaman «ballena asesina»,
pero en realidad es un delfín
tan largo como un autobús.

A la orca le encanta chapotear,
zambullirse y saltar fuera del agua.
Tiene una gran aleta dorsal
y en la piel un dibujo blanco y negro
diferente en cada ejemplar.

OSO POLAR

El oso polar nada muy bien
y pasa mucho tiempo en el agua
en busca de comida.

Cuando caza una foca, se acerca despacio,
sin hacer ningún ruido. La foca no lo ve
porque el color de su pelo se confunde
con la nieve.

CEBRA

La cebra se parece mucho al caballo,
pero con rayas blancas y negras.
Trota por la sabana en rebaños enormes
en busca de hierba fresca.

De día descansa a la sombra de un árbol
y al anochecer camina hasta encontrar
un lugar donde beber.

Es muy valiente.
Si un león la ataca, se defiende
dando coces y mordiscos.

GUEPARDO

El guepardo caza al mediodía, cuando hace más calor,
mientras los leones y las hienas duermen.
Así no le roban las presas.

Vigila la sabana
camuflado entre las hierbas altas
gracias a las manchas marrones
de su piel.

Cuando persigue a una gacela
corre tras ella tan rápido
como un automóvil.

LLAMA

La llama es pariente del camello, pero no tiene joroba.

Para alimentarse, pasta en la hierba como las vacas
y bebe muy poca agua.

Es muy fuerte, por eso los humanos la usan para llevar cargas.

Si le ponen demasiado peso, se enfada.

Entonces se tumba en el suelo,

escupe, silba y da patadas.

PANTERA NEGRA

Esta pantera es un jaguar de pelaje negro en vez de a manchas.

Huele sus presas a mucha distancia
y las puede ver en la oscuridad.

Este enorme gato
nada muy bien y caza caimanes
y anacondas en el agua.
Muerde con tanta fuerza
que puede perforar
el durísimo caparazón
de una tortuga.

TIGRE DE BENGALA

Este gran felino vive en la India.
Marca su territorio con orina
para que no se le acerquen otros tigres.

Al llegar la noche, sale de caza
y busca ciervos, búfalos y jabalíes.
Anda despacio entre las plantas
camuflado con su pelaje a rayas, se acerca
a su víctima y la ataca con un salto rápido y mortal.

FLAMENCO

Esta elegante ave de largas patas dedica mucho tiempo a buscar algas, cangrejos y lombrices en los ríos y lagos en que vive. Para encontrar la comida, estira su largo cuello y remueve el barro con el pico.

Al nacer es de color blanco. A medida que crece cambia de color debido a las algas que come.

Forma parte de bandadas de miles de flamencos y, al volar todos juntos, el cielo se vuelve de color rosa.

FAISÁN DORADO

El faisán macho tiene las plumas de colores alegres
y una cola larguísima para atraer a la hembra.
La hembra es parda para que los depredadores no la descubran.

El faisán prefiere correr a volar; pero cuando se asusta,
vuela a gran velocidad y hace mucho ruido al batir las alas.

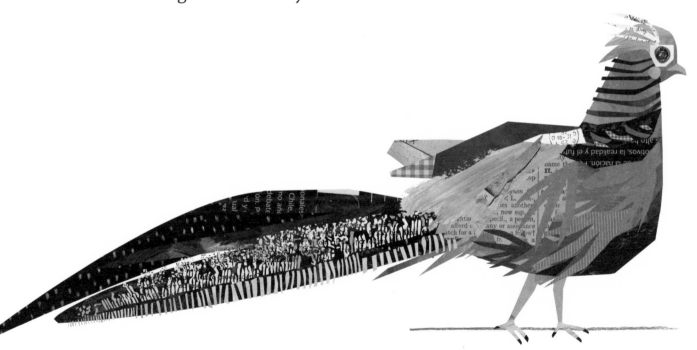

GUACAMAYO ESCARLATA

El guacamayo vive en bandadas
para protegerse y buscar alimento.
Sus chillidos fuertes y agudos
se oyen en la selva desde muy lejos.

Tiene las plumas de muchos colores,
es fácil de domesticar
y puede aprender a hablar.
Por eso es tan popular como mascota.

TUCÁN

El tucán tiene un pico de colores brillantes y, aunque es muy largo, pesa poco y le permite volar sin dificultad. Es un pico muy duro que usa para pelar frutas y cazar insectos y lagartijas.

Cuando tiene calor, el tucán se pone a la sombra de una hoja o se da un baño en un charco.

QUETZAL

El quetzal es un ave silenciosa del tamaño de una gallina.

Tiene en la cabeza un penacho de plumas que parece una corona.

El plumaje verdoso le ayuda a confundirse con las hojas húmedas de los árboles.

Pasa quieto casi todo el día posado en una rama. Si tiene hambre, come moras o frutos del laurel, aunque su comida favorita son los aguacates silvestres.

CÁLAO

Cuando vuela sobre la selva, el cálao
luce sus vivos colores y hace mucho ruido.

Construye el nido en el hueco de un árbol.
Para proteger a su familia, el macho
levanta una pared de barro y deja un agujerito
por el que alimenta a la madre y a las crías.
Al crecer los pollos, los padres rompen la pared a picotazos
y se van todos volando.

TUNQUI

El tunqui es un ave difícil de ver.
El macho tiene las plumas
de un color naranja muy parecido
al de las flores de la selva.
Para atraer a la hembra
baila, canta y hace piruetas.

Vive en las montañas
de la selva amazónica.
Construye su nido con musgos,
líquenes y otros vegetales.

PIQUERO DE PATAS AZULES

Para pescar, el piquero se lanza
como un torpedo y se zambulle en el mar
casi sin salpicar.

Para que la hembra se fije en él,
el macho despliega las alas, baila
y da fuertes golpes contra el suelo
con sus patas de color azul.
Si a ella le gusta, le responde
haciendo un ruido que parece
el croar de una rana.

DIAMANTE DE GOULD

Cuando este tímido pajarillo
quiere impresionar a una hembra,
canta suavemente y da saltitos sobre una rama.

El macho aleja del nido a los depredadores
atrayéndolos con los luminosos colores de sus plumas.
La hembra, por el contrario, tiene colores discretos
para pasar desapercibida mientras incuba los huevos.
Aunque los padres comen semillas,
los polluelos prefieren escarabajos, moscas y arañas.

PAVO REAL

El pavo real duerme sobre un árbol.
Cuando despierta, sale en busca de lagartos
y culebras pequeñas para comer.

Las plumas del macho tienen unos dibujos redondos
de color verde y azul que parecen ojos.
Para enamorar a la hembra abre la cola
formando un abanico espectacular.

CAMALEÓN PANTERA

El camaleón pantera puede cambiar de color.
Cuando anda por la selva es verde y marrón,
por eso los otros animales
no lo ven entre las plantas.
Si se enfada, infla el cuerpo y se vuelve rojo
para que los demás camaleones se aparten.

FALSA CORAL

Cuando se hace de noche
sale de su escondite a cazar ratones.
Los anillos de su piel tienen rayas
negras, rojas y amarillas.
Vestida con esos colores se parece mucho
a la verdadera serpiente coral,
uno de los animales más peligrosos del mundo.
Pero esta culebra no tiene veneno en los dientes.

RANA ARBORÍCOLA

Esta rana de ojos rojos, grandes y saltones,
pasa el tiempo subida a los árboles
de los bosques lluviosos de América Central.
Durante el día se esconde para que no la encuentren
los murciélagos ni las serpientes. Al llegar la noche
sale a cazar insectos con su lengua larga y pegajosa.

La hembra pone los huevos
en una hoja que cuelga
encima de un charco.
Cuando nacen los renacuajos,
resbalan por ella y caen al agua.

RANAS PUNTA DE FLECHA

Las ranas punta de flecha pueden tener
todos los colores del arcoíris.
Pero ¡cuidado!, esto indica que su piel tiene mucho veneno.

Cuando sienten hambre, cazan escarabajos
y hormigas en charcas fangosas.
Los machos atraen a las hembras croando
con un sonido agudo que puede oírse en toda la selva:
«ti, ti, ti...».

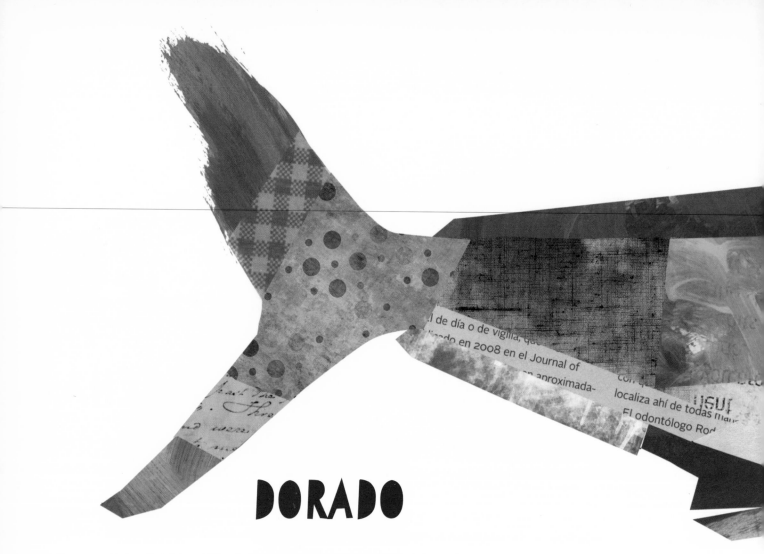

DORADO

El dorado es un pez tan grande como una persona.
Tiene un cuerpo muy llamativo,
con un bulto en la cabeza
y unos colores que parecen de metal.

Viaja por todos los océanos del mundo
buscando aguas cálidas y alimento.

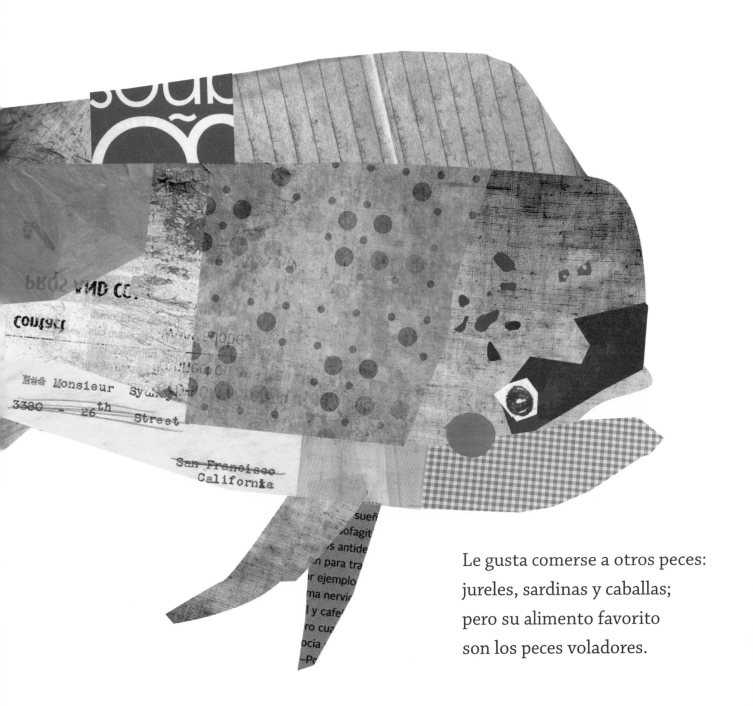

Le gusta comerse a otros peces:
jureles, sardinas y caballas;
pero su alimento favorito
son los peces voladores.

PEZ PAYASO

Las franjas naranjas, blancas y negras de este pez
recuerdan el maquillaje de los payasos de circo.

Siempre está nadando entre las anémonas de mar
para protegerse de otros peces que quieren comérselo.
Las anémonas tienen tentáculos venenosos,
pero sus picaduras no le hacen daño al pez payaso.

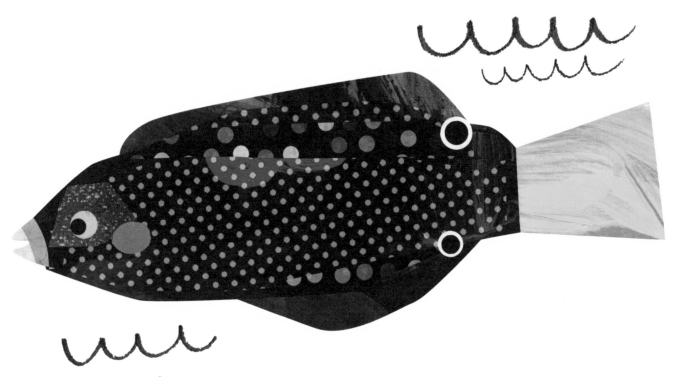

LÁBRIDO DE COLA AMARILLA

Este pececito pasea sus inconfundibles puntos blancos
entre los corales del arrecife con elegantes movimientos.

De noche se refugia entre las piedras
o se entierra en la arena.
Cuando llega el día, sale de caza.
Tiene unos dientes tan fuertes
que pueden destrozar el caparazón
de un cangrejo.

PULPO DE ANILLOS AZULES

Este pequeño pulpo tiene el tamaño del puño cerrado de una persona. La hembra lleva los huevos con ella hasta que nacen los pulpitos.

Cuando otro animal lo amenaza, le enseña los anillos azules y negros que tiene por todo el cuerpo. Así le avisa de que es una de las criaturas más venenosas de todo el océano.

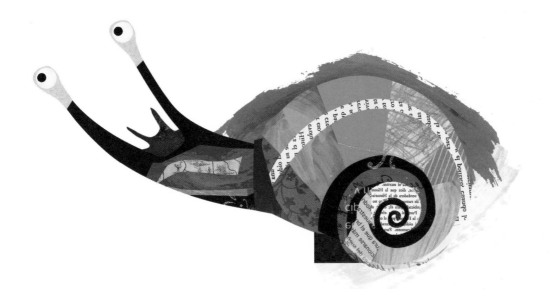

CARACOL ARCOÍRIS

Este hermoso caracol repta por los árboles
buscando hongos y líquenes para comer.

Por raro que parezca, es macho y hembra a la vez.
Cuando quiere poner sus huevos, baja del árbol,
hace un agujero en el suelo y los entierra.

Los coleccionistas buscan al caracol arcoíris
por la belleza de las espirales que adornan su concha.
Por eso quedan tan pocos
y están en peligro de extinción.

MARIPOSA MONARCA

Cuando sale del huevo, la oruga de la mariposa come sin parar,
engorda mucho y se encierra en un capullo para transformarse.
Varios días después lo rompe y despliega sus hermosas alas
de color negro, naranja y blanco.

La mariposa monarca nació para volar.
En otoño, antes de la llegada del frío, inicia un largo viaje.
Cruza volando toda América del Norte
para encontrar un lugar más cálido donde pasar el invierno.

MARIPOSA ALAS DE PÁJARO

Esta es la mariposa más grande del mundo.
Puede alcanzar el tamaño de tus dos manos extendidas.
Al amanecer y al atardecer vuela muy alto
para libar el néctar de las flores que crecen
en la copa de los árboles.

Cuando los depredadores reconocen los colores
que adornan sus alas no se la quieren comer
porque el veneno que tiene en su cuerpo
le da un sabor muy desagradable.

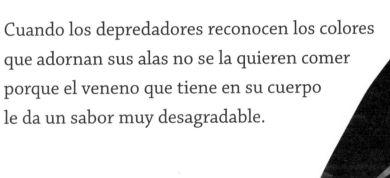

Para Clemente, Domingo y Magdalena,
con todo el amor del mundo, mamá.

Idea original: Maya Hanisch
Coordinación: Chema Heras y Xulio Gutiérrez

© del texto: Agustín Agra, 2015
© de las ilustraciones: Maya Hanisch, 2015
© de esta edición: Kalandraka Editora, 2015
Rúa de Pastor Díaz n.º 1, 4.º A - 36001 Pontevedra
Telf.: 986 860 276
editora@kalandraka.com
www.kalandraka.com

Faktoría K de libros es un sello editorial de Kalandraka

Impreso en Gráficas Anduriña, Poio
Primera edición: marzo, 2015
ISBN: 978-84-15250-83-8
DL: PO 48-2015